U0065561

白明植　圖文

　　出生於江華，主修西畫，曾任出版社的總編輯。創作小朋友喜歡的繪本時，是感到最幸福的時刻。繪有《享用大自然的美味（全四集）》、《WHAT？自然科學篇（全10集）》系列、《閱讀的鬼怪》等，而創作全圖文的繪本則有《豬學校（全40集）》、《人體科學繪本（全5集）》、《好吃的書（全7集）》、《低年級STEAM學校（全5集）》、《名偵探小串的生態科學（全5集）》等系列（以上均暫譯）。曾獲少年韓國日報優秀圖書插畫獎、少年韓國日報出版部門企劃獎、中央廣告大賞、首爾插畫獎。

千宗湜　監修

　　從首爾大學微生物系畢業後，至英國紐卡索大學醫學院微生物系獲博士學位。迄今為止，從江華島的潮間帶、南極的世宗基地、獨島等地尋找到新的微生物，並發表過兩百多篇學術論文，在國際間具有一定的學術地位。因為常從國內外自然界中，找出新型且多元的微生物，而被譽為「微生物獵人」。

　　歷經美國馬里蘭大學海洋生技研究中心研究員、韓國生技研究中心資深研究員，自2000年開始擔任首爾大學生命科學系的教授，開啟指導學生的教涯。也是Chunlab生技公司（www.chunlab.com）的創辦人，目前為韓國科學技術研究院（www.kast.or.kr）的正式會員。著作有《值得感謝的微生物、令人討厭的微生物》（暫譯）等書。

◕◕ 知識繪本館

微生物小祕密1　嘿！我是細菌 地球生命演化始祖

作繪者｜白明植　監修｜千宗湜　譯者｜葛增娜　審訂｜陳俊堯
責任編輯｜張玉蓉　美術設計｜丘山　行銷企劃｜陳詩茵

天下雜誌群創辦人｜殷允芃　董事長兼執行長｜何琦瑜
兒童產品事業群
副總經理｜林彥傑　總編輯｜林欣靜　版權專員｜何晨瑋、黃微真

出版者｜親子天下股份有限公司
地址｜臺北市 104 建國北路一段 96 號 4 樓
電話｜（02）2509-2800　傳真｜（02）2509-2462
網址｜www.parenting.com.tw
讀者服務專線｜（02）2662-0332　週一～週五：09:00-17:30
傳真｜（02）2662-6048　客服信箱｜bill@cw.com.tw
法律顧問｜台英國際商務法律事務所・羅明通律師
製版印刷｜中原造像股份有限公司
總經銷｜大和圖書有限公司　電話：（02）8990-2588

出版日期｜2022 年 3 月第一版第一次印行
定價｜320 元　書號｜BKKKC195P
ISBN｜978-626-305-158-4（精裝）

訂購服務
親子天下 Shopping｜shopping.parenting.com.tw
海外・大量訂購｜parenting@cw.com.tw
書香花園｜臺北市建國北路二段 6 巷 11 號　電話（02）2506-1635
劃撥帳號｜50331356 親子天下股份有限公司

國家圖書館出版品預行編目（CIP）資料

微生物小祕密. 1, 嘿!我是細菌,地球生命演化始祖/
白明植圖.文. -- 第一版. -- 臺北市：
親子天下股份有限公司, 2022.03
36面 ;19x25公分
注音版
ISBN 978-626-305-158-4(精裝)
1.CST: 微生物學 2.CST: 細菌 3.CST: 繪本
369　　　　　　　　　　　110022186

立即購買 >

微生物小祕密 1

嘿！我是細菌
地球生命
演化始祖

白明植 圖文　千宗湜 監修　葛增娜 翻譯

陳俊堯 審訂
（慈濟大學生命科學系助理教授、科普文字工作者）

很久很久以前，
地球上沒有任何生命，
是個可怕的地方。
到處都燒著熊熊火焰，
每天都會火山爆發，
空中也充斥著毒氣。

不過，在這麼惡劣的地方，
誕生了生物。
那就是我——細菌！

關於我怎麼誕生的，
每個科學家的主張都不太一樣。
有些科學家認為我是從很遠的宇宙飛來的，
有些則認為我是從地球某個角落自然誕生的。
不過我怎麼會住在地球上，
到現在還沒有找到明確的原因。

毒氣

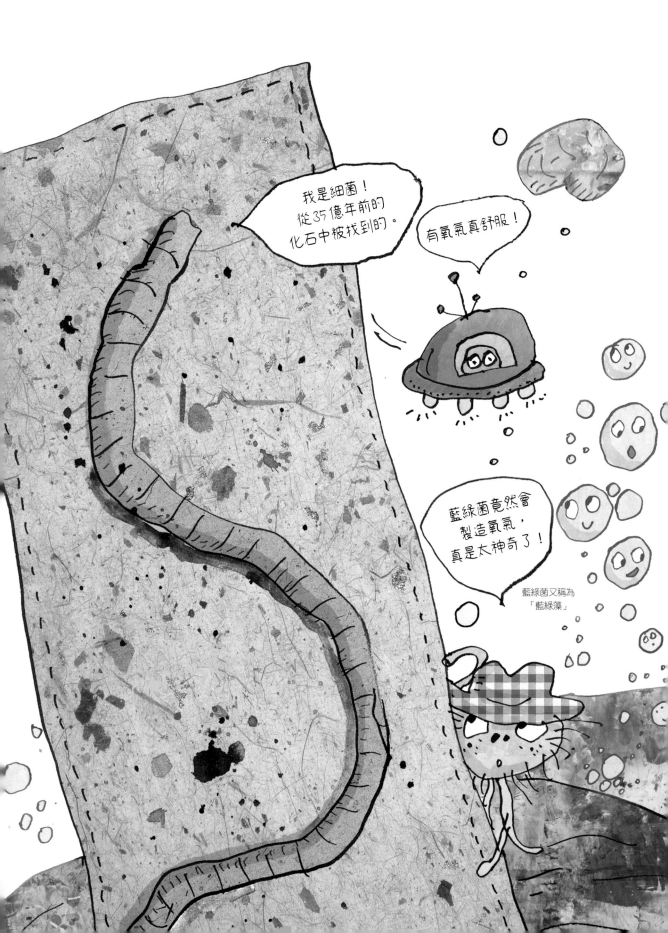

我是非常小的生物。
當我開始住在地球的時候，
地球上的氧氣非常少。
不過，就算沒有氧氣，我也能活。

偷偷告訴你一個祕密，
人體內住著超過100兆個細菌，
可以說是細菌樂園。
不過更讓人驚訝的是，
人體內全部的細菌量，
比古早地球上的細菌總量多十倍！

數量真的很驚人吧？

氧氣不斷冒出來
而產生泡泡

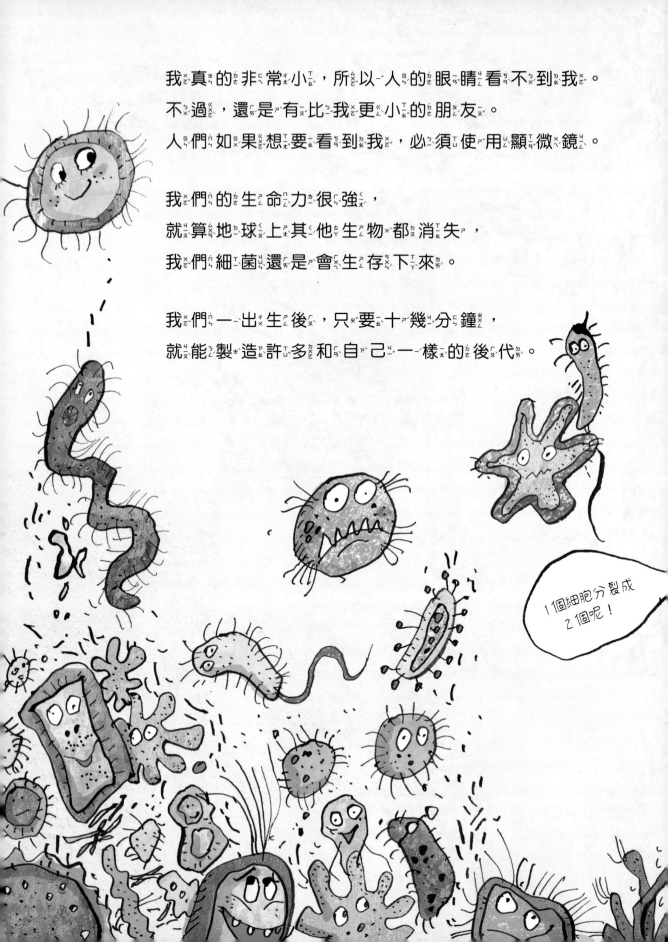

我真的非常小，所以人的眼睛看不到我。
不過，還是有比我更小的朋友。
人們如果想要看到我，必須使用顯微鏡。

我們的生命力很強，
就算地球上其他生物都消失，
我們細菌還是會生存下來。

我們一出生後，只要十幾分鐘，
就能製造許多和自己一樣的後代。

1個細胞分裂成
2個呢！

1 個變 2 個，2 個變 4 個，

4 個變 8 個，8 個變 16 個……

一直不斷的增加。

一天之內，一個就能變成數千億個。

我自己也覺得很驚人。

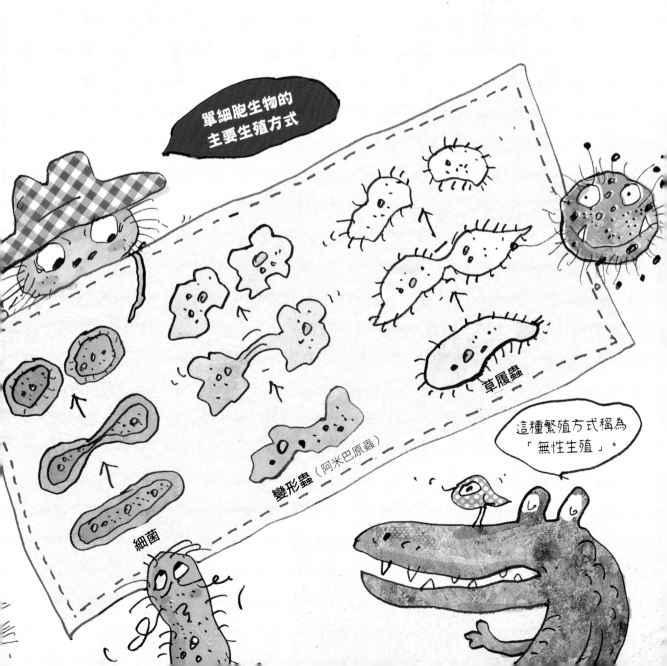

單細胞生物的主要生殖方式

草履蟲

變形蟲（阿米巴原蟲）

細菌

這種繁殖方式稱為「無性生殖」。

細菌也是優秀的遺傳工程學家，
可以輕易解決基因工程師長久以來研究的事情。
告訴你一個驚人的事實好了！
從很久以前，我們細菌就能隨心所欲的改造基因。

因為我可以把自己身上的基因，
送給其他的細菌朋友。
細菌之間可以交換彼此的基因，
雖然有時候會因此製造出奇形怪狀的朋友。

發現新的細菌了！

回想起35億年前我誕生時，
地球上沒有任何食物。
但在好一陣子以後，
演化出新能力的細菌。
他們吃了陽光、水和二氧化碳，
然後發生了驚人的事情，
就是竟然可以行光合作用！
你應該知道光合作用是植物進行的吧？
不過細菌比植物更早之前，
就可以行光合作用了！

也多虧如此，細菌的數量才能大量增加。
而大便甚至多到覆蓋整個天空。

廁所

氧氣是
細菌的大便？

你覺得很髒嗎？才不會呢！
因為這些大便就是氧氣，可是乾淨又新鮮呢！
大量的氧氣後續變成了臭氧層，
臭氧層可以保護地球不受到紫外線的傷害。

那時所有細菌的大便，變成很大的防護傘，
讓地球上的許多生命都能活下來。

很久以前的細菌運用紫外線或微波來增殖。

竟然用大便保護地球，我們細菌好厲害啊！

我們細菌是很會吃的大胃王，
不論什麼全部都會吃下去，
連腐爛的食物、動物的屍體和排泄物，
全部都會吃光。

如果不這麼會吃，
地球可能已經變成垃圾場了，
我們等於是地球的清潔員。

不過，我們也會做出美味的食物，
所以也是優秀的廚師。

優格、起司、泡菜、
味噌或醬油等，
都是細菌做出來的食物。
做出這些食物的細菌，
人們稱為「乳酸菌」，
還把這個製作食物的過程稱為「發酵」。

嗯，原來發酵是那樣進行的。

食物

產生酵素

改造食物

快看！新的食物完成了！

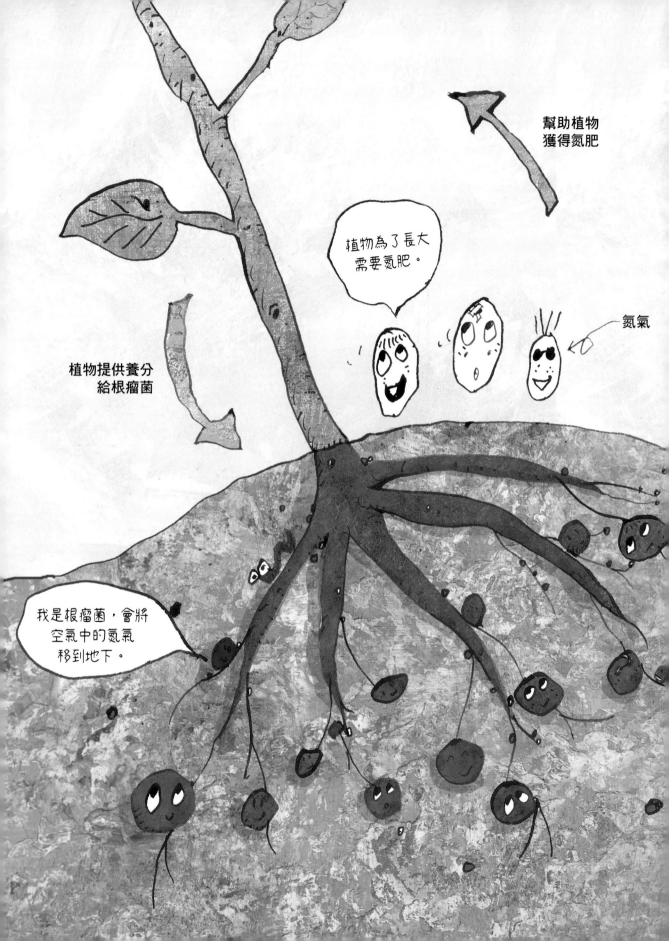

對植物來說，我們細菌是必要的存在。

植物為了長大需要養分，

而我們會幫忙植物取得養分。

那我們怎麼幫忙呢？

植物沒有辦法直接利用空氣中的氮氣，

所以我們會轉換成植物可以使用的氮肥。

「根瘤菌」負責這件事情。

他們把氮肥送給植物後，

植物會回報根瘤菌所需的養分表達感謝，

彼此互相幫忙。

當然，為了讓植物好好長大，

可以使用硝酸鹽化學肥料。

可是比起化學肥料，天然氮氣更好！

你可能不知道，
我們細菌都很愛打扮。
紅色、白色、黃色等，
用各種顏色裝扮自己。

不過也有黑漆漆的，
或是看起來有點髒的朋友。
如果食物腐爛時變得又髒又黑，
都是因為這些朋友造成的。

很漂亮。

我們細菌住的地方很廣，
可以住在飄浮在天空的雲裡，
也可以住在滾滾沸水或很鹹的海裡。

人的皮膚、鼻孔或頭髮等，
也都有我們的蹤跡。
我們能住在人體內外
所有的地方。

我們不但能住在人們
隨身攜帶的手機或廁所馬桶上，
也能住在像石頭般硬掉的油漆裡，
還會住在能夠溶化金屬的硫酸裡。

甚至還有去宇宙旅行過的細菌。
科學家從放在月亮上的相機鏡頭中，
找到叫做「鏈球菌」的細菌。
原本以為他已經死了，
沒想到一回到地球就立刻活了過來！

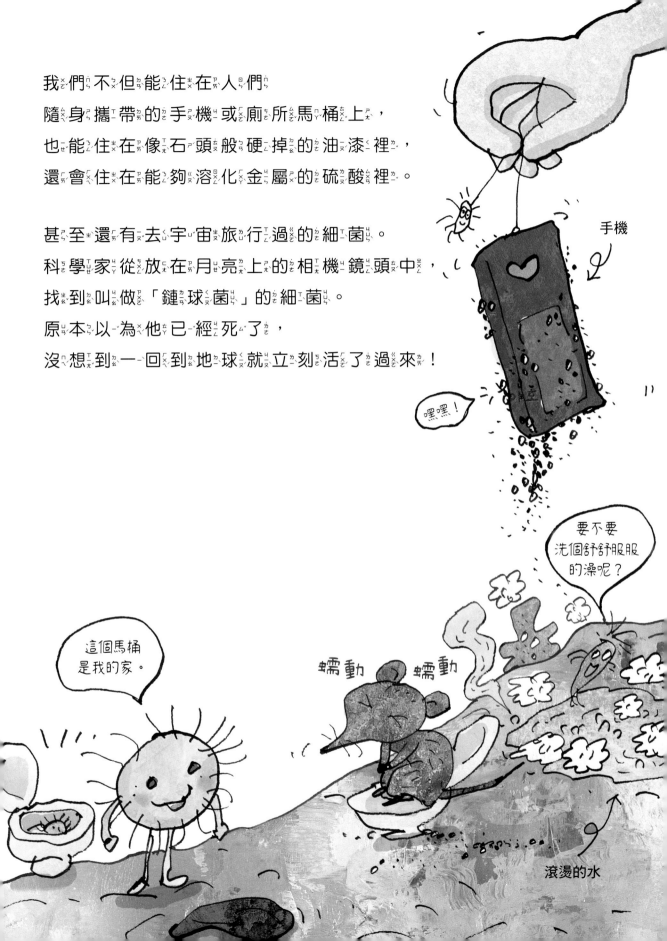

手機

嘿嘿！

要不要
洗個舒舒服服
的澡呢？

這個馬桶
是我的家。

蠕動　蠕動

滾燙的水

住ㄓㄨˋ在ㄗㄞˋ新ㄒㄧㄣ墨ㄇㄛˋ西ㄒㄧ哥ㄍㄜ州ㄓㄡ鹽ㄧㄢˊ礦ㄎㄨㄤˋ地ㄉㄧˋ下ㄒㄧㄚˋ 600 公ㄍㄨㄥ尺ㄔˇ處ㄔㄨˋ的ㄉㄜ˙細ㄒㄧˋ菌ㄐㄩㄣ，
聽ㄊㄧㄥ說ㄕㄨㄛ已ㄧˇ經ㄐㄧㄥ活ㄏㄨㄛˊ了ㄌㄜ˙ 2 億ㄧˋ 5000 萬ㄨㄢˋ年ㄋㄧㄢˊ！

他ㄊㄚ為ㄨㄟˋ了ㄌㄜ˙在ㄗㄞˋ不ㄅㄨˋ容ㄖㄨㄥˊ易ㄧˋ存ㄘㄨㄣˊ活ㄏㄨㄛˊ的ㄉㄜ˙環ㄏㄨㄢˊ境ㄐㄧㄥˋ生ㄕㄥ存ㄘㄨㄣˊ，
盡ㄐㄧㄣˋ可ㄎㄜˇ能ㄋㄥˊ不ㄅㄨˋ移ㄧˊ動ㄉㄨㄥˋ，一ㄧˋ直ㄓˊ維ㄨㄟˊ持ㄔˊ著ㄓㄜ˙休ㄒㄧㄡ息ㄒㄧˊ的ㄉㄜ˙狀ㄓㄨㄤˋ態ㄊㄞˋ。

還有細菌在西伯利亞凍土裡，活了 300 萬年；
也有細菌在罐頭食品裡，活了 118 年；
更有細菌在啤酒瓶裡，活了 166 年！
我們細菌真的很厲害吧！

都過了 1 億年了，
怎麼還在睡覺！

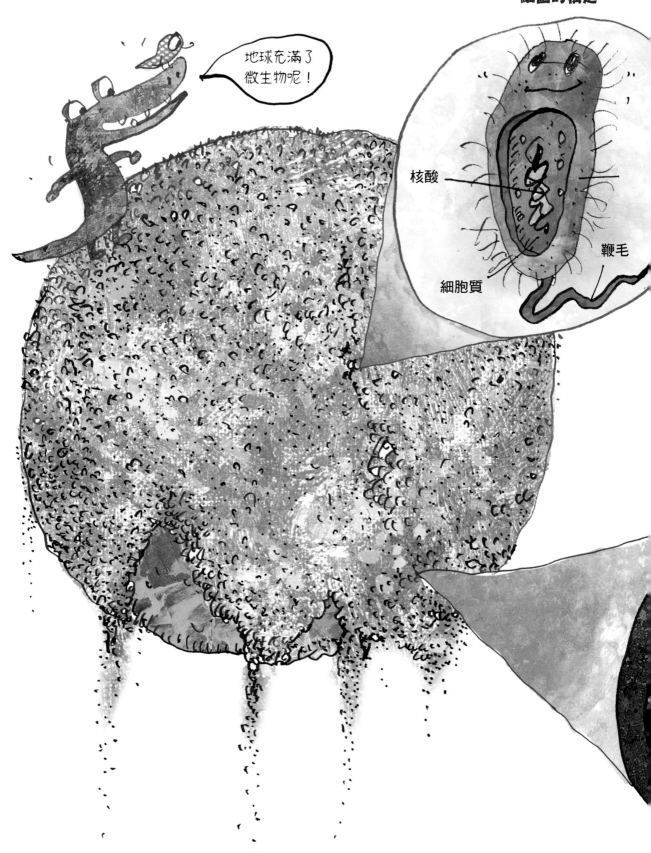

細菌的構造

核酸

細胞質

鞭毛

地球充滿了微生物呢！

你問我細菌一共有多少數量？
1 公克的土裡有超過四千多萬個細菌，
1 毫升的水裡有超過一百多萬個細菌。

而人體內的細菌，比人體內的細胞數量還多。
可以說住在地球的 80% 生物都是細菌。

用總數來說明的話，
細菌的數量竟然多達 10 的 29 次方，
也就是 10 自己乘上 29 次，
如果把這個以數字來呈現就會像下面這樣：

100,000,000,000,000,000,000,000,000,000

看得眼睛都花了嗎？沒錯，
我們細菌的數量
可是很驚人的！

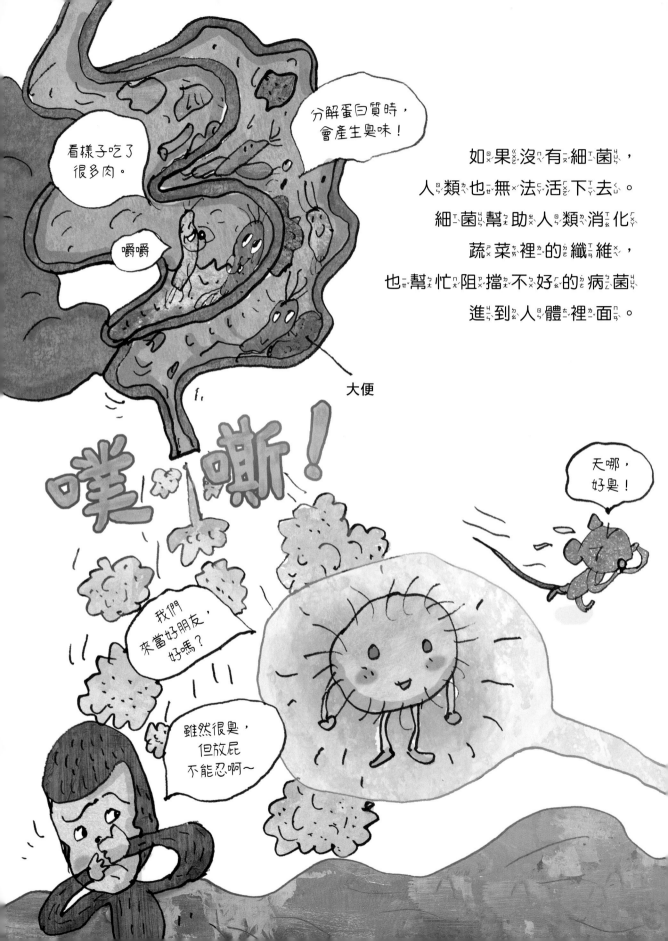

看樣子吃了很多肉。

分解蛋白質時，會產生臭味！

嚼嚼

大便

如果沒有細菌，
人類也無法活下去。
細菌幫助人類消化
蔬菜裡的纖維，
也幫忙阻擋不好的病菌
進到人體裡面。

噗～嘶！

天哪，好臭！

我們來當好朋友，好嗎？

雖然很臭，但放屁不能忍啊～

來說一個有趣的事情好了，
人類通常一天會放屁14次，
如果不放屁，很快就會生病。
不過幫助人放屁的，其實是住在腸道裡的細菌！

對了，你聽過大便治療法嗎？
這是運用大便來治療身體的方法。
這個治療法是從健康人的大便中取出細菌，
移植到罹患腸炎、拉肚子的病人腸道裡。
聽起來雖然有點髒，但是個很創新的方法吧？

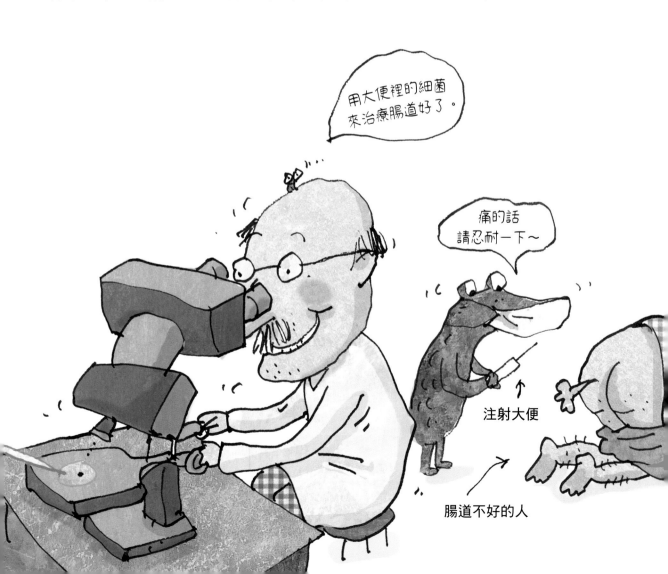

用大便裡的細菌
來治療腸道好了。

痛的話
請忍耐一下～

注射大便

腸道不好的人

我們細菌對人類而言是好朋友，
不過也有引發疾病的種類。
像是叫做「幽門螺旋桿菌」的細菌，
住在人的胃裡，會引起發炎，
甚至還會變成胃癌。

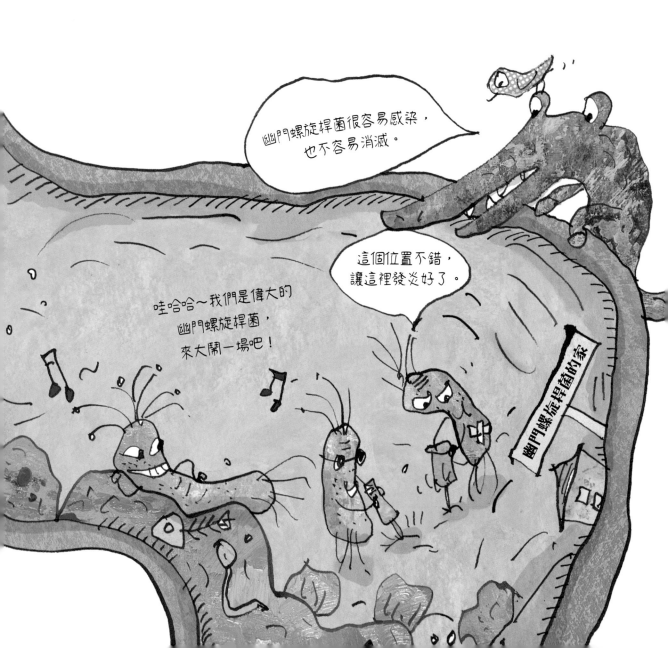

人類用「抗生素」來消滅引起麻煩的細菌。
不過近幾年，出現更可怕的種類，
那就是 —— 超級細菌。
抗生素對超級細菌完全起不了作用。

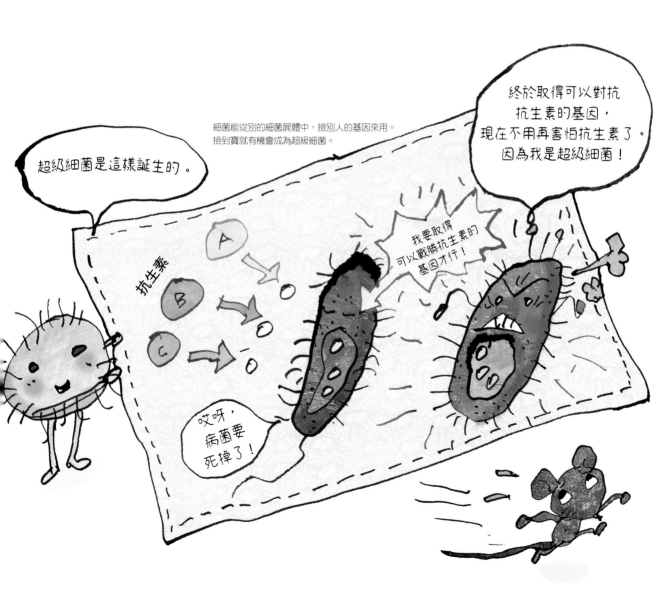

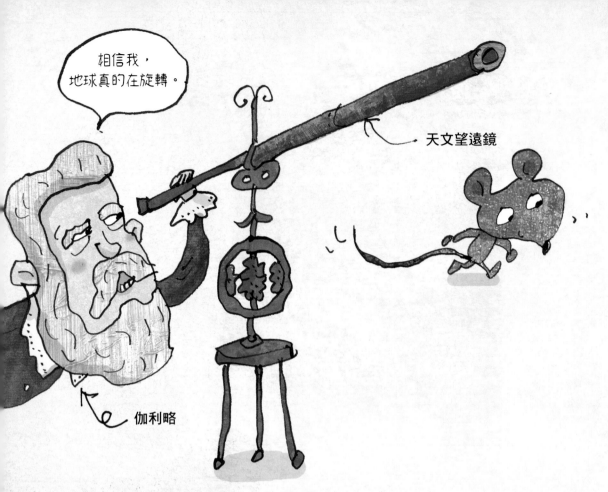

相信我，
地球真的在旋轉。

天文望遠鏡

伽利略

在這裡先聊點別的。

可以看到細菌的顯微鏡，究竟是誰發明的呢？

顯微鏡是由荷蘭一對眼鏡製造商父子 ──

漢斯・詹森（Hans Jansen）和

扎卡里亞斯・詹森（Zacharias Jansen），

在 1595 年第一次製造出來的。

在那之後，揭開宇宙神祕面紗的

科學家伽利略・伽利萊（Galileo Galilei），

完成了現在大家使用的光學顯微鏡的基本構造。

伽利略不只完成了觀察微小世界的顯微鏡，

還做出了可以觀察遙遠宇宙的望遠鏡。

很厲害吧！

那麼第一個看到我們細菌的人是誰呢？
是一位叫做雷文霍克的科學家。
1675 年，雷文霍克（Antonie Philips van Leeuwenhoek）
正在思考要用自己做的顯微鏡看什麼。
然後他就把附著在牙齒上的牙垢刮下來，
用顯微鏡看了一下。
沒想到卻看到密密麻麻的蟲。

那就是我們細菌。

看看這些蠕動的蟲。

牙垢 ➔

這是用我做出來的顯微鏡，觀察到的細菌。

調節螺絲

鏡片

放置觀察物
的地方

就算没有雌雄之分，也可以繁殖？

你可能也很好奇我是怎麼繁衍後代的。

我是以一個細胞形成的單細胞生物。
單細胞生物大部分都是進行無性生殖，
「無性生殖」是指沒有雌雄也可以繁殖的方式。

我會做出跟我一樣基因的細胞，
然後把後代散播出去，
這種方式稱為「分裂生殖」。

假設細菌每 20 分鐘分裂一次，
1 個細菌在 20 分鐘後變成 2 個，40 分鐘後會變成 4 個，
60 分鐘後會變成 8 個，80 分鐘後會變成 16 個，
100 分鐘後會變成 32 個，120 分鐘後會變成 64 個，
140 分鐘後會變成 128 個……你可以算算看，
一個細菌在一天內，可以增加到幾個！
搞不好你會嚇到昏倒。

你聞聞，每個人身上都有味道。

製造那些味道的就是我們細菌。

我們會吃掉從皮膚排出的廢物，

再把分泌物送出去。

這個分泌物因為很輕，

可以隨著空氣飄走，變成你聞到的味道。

雖然偶爾會有香味，但大多都是臭味，

腳味、汗味等，都是具代表性的例子。

而且也會住在人類的汗腺附近，

把汗和汗臭味一起送到體外。

人類嘴巴發出的臭味「甲硫醇」，

也是細菌製造的，

通常只要好好刷牙漱口，

就能消除味道。

刷 刷 刷

吃飯後、睡覺前，
一定要刷牙！

我們細菌和人類，長久以來彼此互助合作，
以後也會繼續幫忙彼此、和平相處。

我們比人類更早住在地球上，演化成各種生命，
搞不好我們細菌和人類有著同樣的祖先。

雖然長相不一樣，但住在地球上的所有生命，
都可以說是從我們細菌演化而成的。

不過如果像現在一樣，環境持續遭到破壞，
細菌為了活下去，有可能會對人類造成危害。
所以，為了讓細菌和人類可以共存，
必須要持續努力下去！

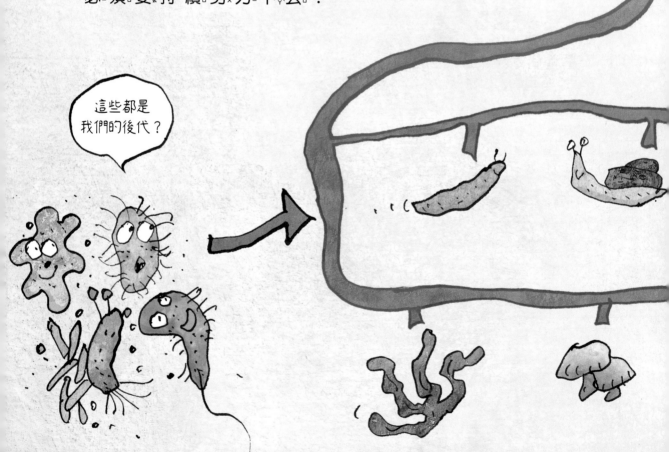

這些都是
我們的後代？

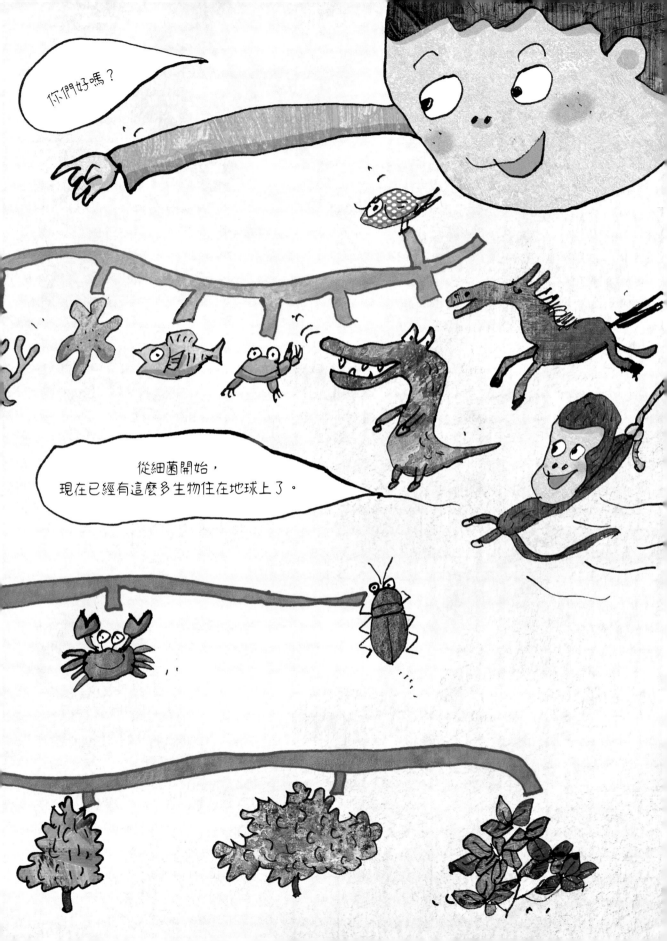

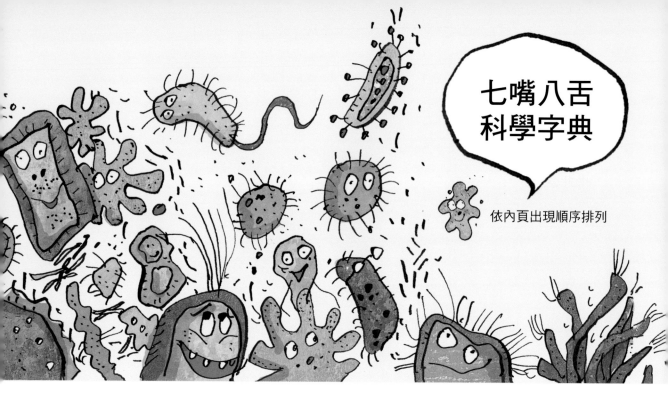

七嘴八舌
科學字典

依內頁出現順序排列

細菌
是其一種微生物。因為非常小，用眼睛看不到。有各種樣態，譬如球形、棒狀、螺旋體等各種不同的形狀。雖然有的細菌對人體有害，但也有帶來好處的細菌。

光合作用
運用水、陽光和二氧化碳，製造出養分的過程。
行光合作用時，植物會排出氧氣。不只植物，部分微生物也會行光合作用。

顯微鏡
觀察人類眼睛看不到的小物體或微生物的儀器。顯微性大致上分為兩類：利用光線照到凸透鏡來放大東西的「光學顯微鏡」，以及用來觀察病毒（光學顯微鏡看不到）的「電子顯微鏡」。

紫外線
太陽發出的光芒之一，人眼看不到。紫外線會讓皮膚變黑，而且照射太久，皮膚還會受傷。

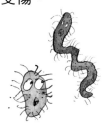

微生物

指非常小的生物。我們生活的各個地方都有微生物。微生物對大部分的人類不會造成任何影響，只有部分微生物會對人類有益或有害。

移植

將活體組織的部分或全部取下來，移到另一個身體部位的過程。

抗生素

可以消滅人體內不好的微生物。史上第一個抗生素是青黴素。抗生素雖然可以把病治好，但使用錯誤有可能造成起疹子、腹瀉等各種副作用，所以只能在必要的時候使用。

分裂生殖

細菌繁殖的方法之一，分裂後會產生 2 個新個體。

孢子繁殖

指產生孢子進行繁殖的方式。通常黴菌或菇類等會進行孢子繁殖。

出芽生殖

一種繁殖方式。身體的一部分會長出像瘤一樣的小芽，長大後脫離成獨立個體。海葵、水母都用這種方法來繁殖。

營養器官繁殖

指用根、莖、葉等營養器官來繁殖，是植物無性繁殖的方式之一。

※書中圖像為創意呈現，一般來說細菌的形狀不為不規則形。